U0183398

大艺术家讲萌趣动物

[法] 蒂埃里·德迪厄◎著/绘　　郑宇芳◎译

四川科学技术出版社

写在前面的话

《美丽中国》纪录片副导演　杨晔

从我记事开始，动物总是相伴于我的生活和成长。下雨天，门前马路上跳过的青蛙，动物园里在笼中徘徊的黑豹，小学毕业旅行时在青海湖见到的一群斑头雁，初中在操场做操时飞过树林的一只大猫头鹰……这些记忆伴随着我的成长，为一个孩子的童年带来了无限的快乐和梦想。

那时，互联网还没有普及，想要了解动物知识并非易事，介绍动物的科普书大部分是文字版的，而且充满了各种专业名词，对于一个刚刚识字的孩子来说，只能望书兴叹。毕业后，我进入英国广播电视公司（BBC）自然历史部，从事野生动物纪录片的相关制作工作。在工作之余的闲暇时光，我和同事们一起吃饭聊天，才知道他们并不一定是野生动物专业科班出身，但他们从小都非常热爱自然、热爱动物。他们通过各种渠道来了解动物们的种种故事，而图书，特别是那些制作精美、画面生动的科普图画书，曾在他们幼小的心灵里播撒下了科学的种子，激起了他们对自然的热爱、对动物保护的兴趣，促使他们将这种热爱和兴趣发展成为职业，从而开始了动物保护事业。

今天，我很高兴可以和大家聊聊这样的科普图画书。这套《大艺术家讲萌趣动物》由法国著名的艺术家、图画书作家蒂埃里·德迪厄创作，他在法国享有盛名，曾荣获女巫奖、龚古尔文学奖等重要奖项。为了表彰他在儿童文学领域取得的巨大成就，2010年，他被授予法国儿童图书大奖——“魔法师特别大奖”。他的画风简洁、活泼可爱，文笔则透露出机智和幽默，深受小朋友们的喜爱。这套专门为学龄前儿童创作的图画书简约但不简单，作者精心选取了自然界中孩子们最感兴趣的多种动物，用幽默风趣的绘画和简洁明了的文字描绘了这些动物或广为人知，或普通人鲜有耳闻的行为和习性，从而帮助孩子们走近和了解这些动物。通过阅读这些书，孩子们了解到：童话中的大灰狼在现实中也有它害怕的天敌；勤劳的蜜蜂是舞蹈高手，因为它们要通过跳舞来传递信息；大猩猩和人类一样，也会使用工具；雄狮的工作不是捕食，而是巡视领地……这些知识对孩子们而言十分容易理解和接受，孩子们通过阅读，能感受动物世界的神奇与美好，而这也正是作者希望通过这些书传递给小读者们的情感。

作为一名科普教育工作者，我为孩子们有机会读到这样的优质图书而高兴。希望孩子们在阅读之后，能更好地感知和认识动物的生存价值，尊重和爱护它们；将动物当作人类真正的朋友，不去伤害它们，和它们和平共处，共同维护更加美好的地球家园。

让我们一起走进美好的动物世界，去感受自然的神奇和伟大吧！

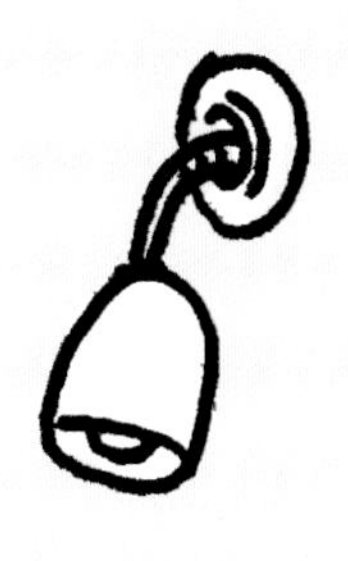

“我说了，是要一个熊玩具！
不是要真的熊！”

熊一般住在岩洞里。

熊什么都吃，

但是它钟爱蜂蜜。

冬
秋
春
夏

有些熊整个冬天都在睡觉。

为了展示力量，

熊可以用两条后腿站立起来。

熊是捕鱼高手。

熊掌非常大，

这让它们在雪中行走时，不容易陷进去。

熊一般是温和的，

不主动攻击人和其他动物。

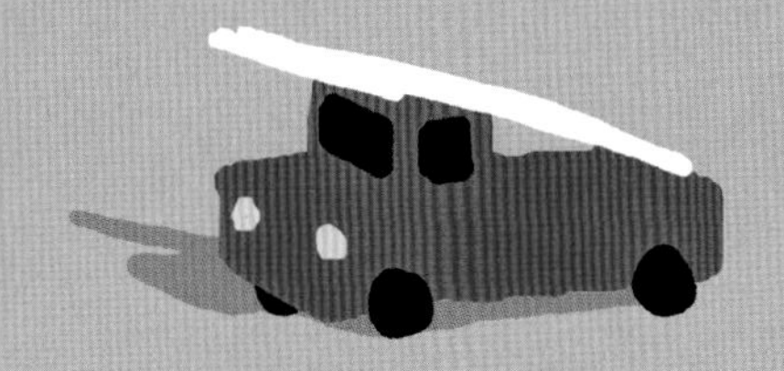

熊曾经是万兽之王。

为了得到熊的皮毛，

过去人类一直都在猎杀它们。

北极熊生活在寒冷的北极，

全身白毛，又名白熊。

“把它给我留下！

它现在还是属于我的！”

作为陆地上最大的肉食性动物，熊曾经一度称霸世界，可是随着环境的变化，拥有巨大体形，但行动不太灵活的熊慢慢失去了霸主的地位，甚至不得不改变食性才能存活下来。现今世界上的熊科动物仅有八种，绝大多数以杂食为主，而北极熊主要吃鱼和海豹。

棕熊是分布最为广泛的熊科动物，主要生活在欧亚大陆和北美。从名字就能知道，棕熊的皮毛为棕色。棕熊的适应能力很强，可以在各种不同的环境下生存。每到秋季，生活在太平洋沿岸的棕熊会捕食溪流中的大马哈鱼来增加自身的脂肪，以便抵挡冬天的严寒。在我国的西藏地区，棕熊为了适应高原生活，体态上发生了一些变化，也被称作马熊。

北极熊这种高度适应极地冰原生活的熊科动物，看似呆萌可爱，实则是凶悍的猎手。北极熊拥有高度发达的嗅觉，是犬类的七倍，奔跑速度快，游泳能力强，是北极地区当之无愧的王者。

熊猫是这个大家族中比较特别的成员，很多科学家都主张把熊猫单独分离出来。这种黑白的“大毛球团”比我们想象的更加适应环境的变化，甚至为了适应吃竹子而长出了第六指，就是在手掌部分有一个突起物，起到了大拇指的作用，它能帮助熊猫轻松地抓住竹竿。

熊科还有其他几位可爱的小兄弟：胸口处有月牙形状白斑的亚洲黑熊，也叫月熊；拥有长长的舌头，专门吃昆虫的懒熊；相对娇小的眼镜熊。

图书在版编目（CIP）数据

大艺术家讲萌趣动物．熊 /（法）蒂埃里・德迪厄著、绘；郑宇芳译．-- 成都：四川科学技术出版社，2021.8
ISBN 978-7-5727-0212-9

Ⅰ．①大… Ⅱ．①蒂… ②郑… Ⅲ．①动物 – 儿童读物②熊科 – 儿童读物 Ⅳ．① Q95-49 ② Q959.838-49

中国版本图书馆CIP数据核字(2021)第156546号

著作权合同登记图进字21-2021-256号

大艺术家讲萌趣动物・熊

DA YISHUJIA JIANG MENG QU DONGWU · XIONG

出品人 程佳月
著　者 ［法］蒂埃里・德迪厄
译　者 郑宇芳
责任编辑 梅　红
助理编辑 张　姗
策　划 奇想国童书
特约编辑 李　辉
特约美编 李闲闲
责任出版 欧晓春
出版发行 四川科学技术出版社
成都市槐树街2号　邮政编码：610031
官方微博：http://weibo.com/sckjcbs
官方微信公众号：sckjcbs
传真：028-87734035

成品尺寸	180mm × 260mm	印　张	2
字　数	40千	印　刷	河北鹏润印刷有限公司
版　次	2021年10月第1版	印　次	2021年10月第1次印刷
定　价	16.80元	ISBN 978-7-5727-0212-9	

本社发行部邮购组地址：四川省成都市槐树街2号　电话：028-87734035　邮政编码：610031